D1556762

从家到太空

透视世界书

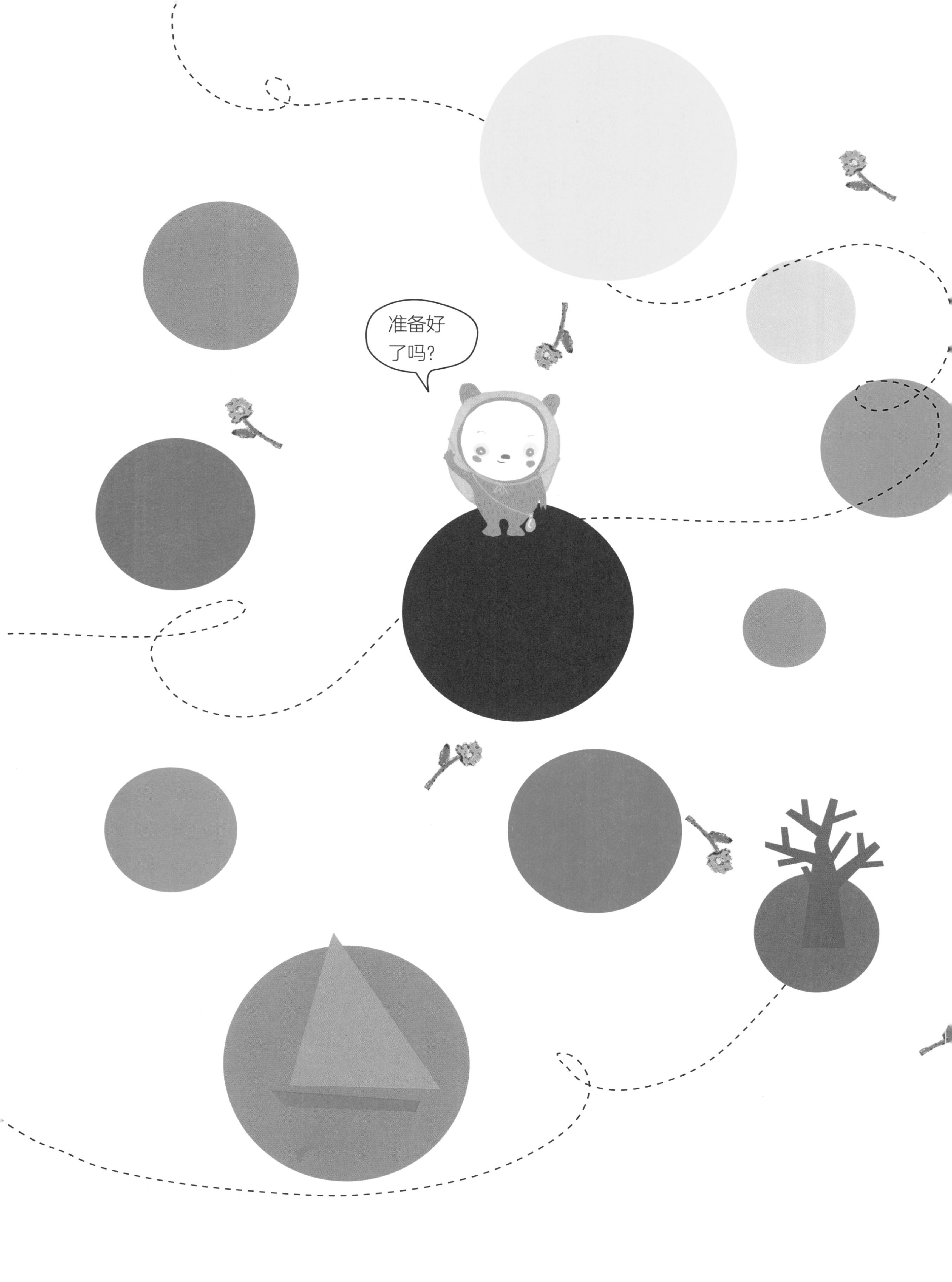
准备好
了吗?

从家到太空
透视世界书

文:〔法〕苏菲·多瓦　图:〔英〕OKIDO 工作室
翻 译: 黄安绮

北京联合出版公司
Beijing United Publishing Co.,Ltd.

我们要去哪里呢？

让我们从家里展开旅程，一路玩到太空去吧！
你能在每张图片中找到黄色的小人吗？

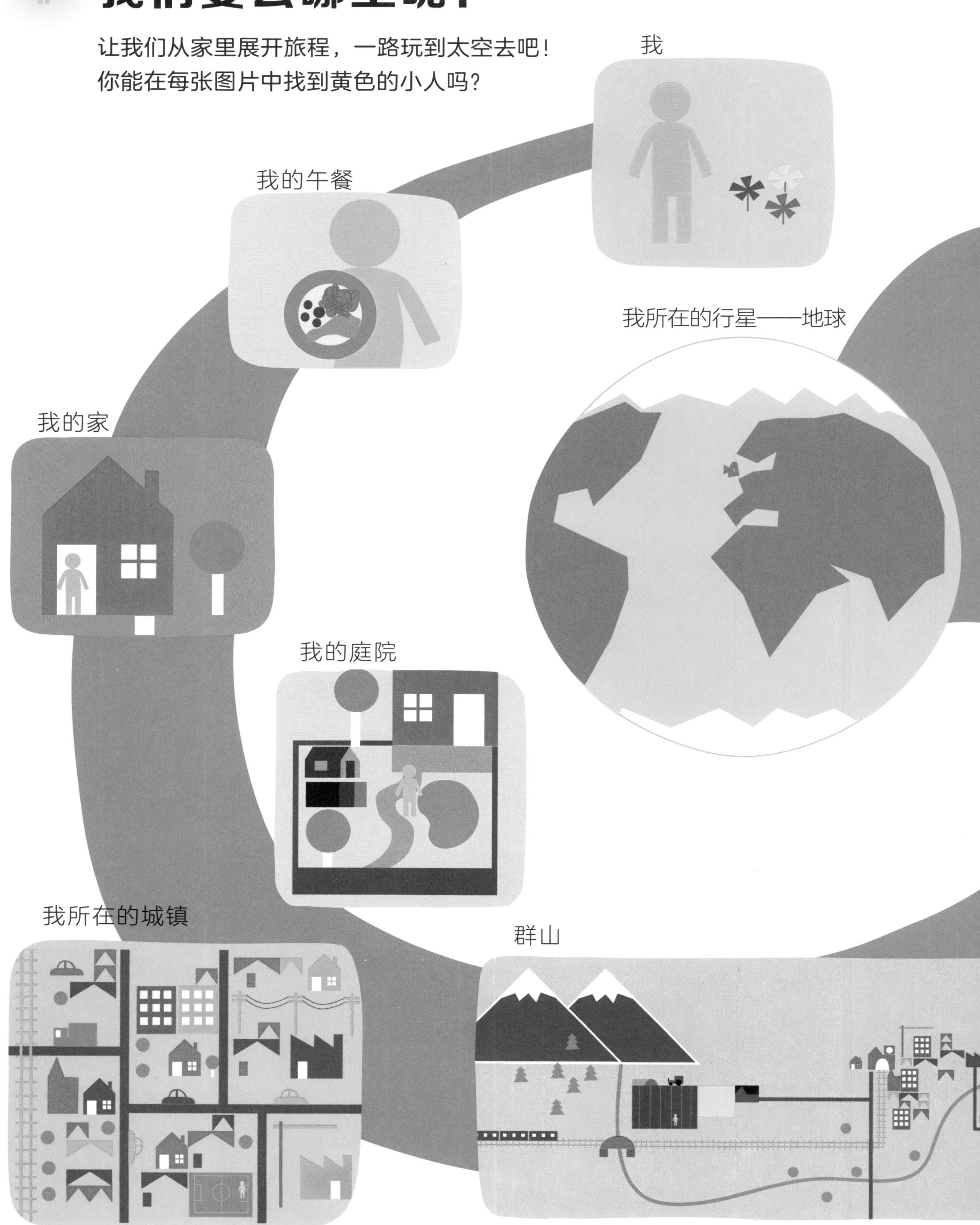

夜空

四季

森林

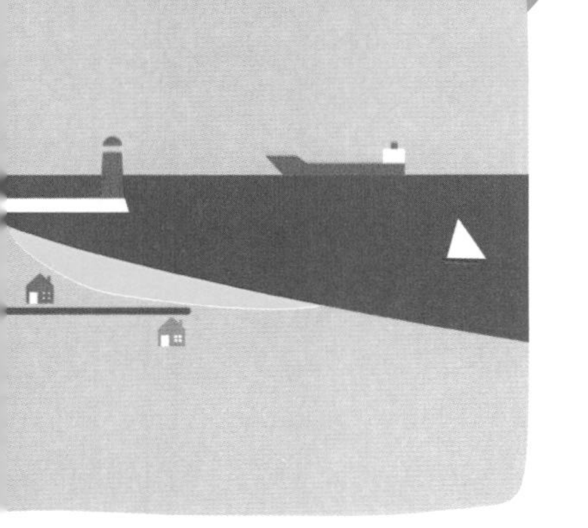

海滩

这里找找看！

我要怎么使用这本书呢？

这是一趟体验身边世界的奇妙旅程，准备好出发了吗？跟着这本书，将会认识生活中各种各样有趣的事物。当然，还有许多好玩的小游戏和动手做做看的小实验和玩具！

跟可可打招呼

当你看到……

请一位大人协助你。

动手做做看！

认识探索好伙伴

这三名探索好伙伴超爱大自然。他们会告诉你刚刚发现了什么新东西。他们非常喜欢四处冒险！

好！出发了……

关于我

嗨，你叫什么名字？

你有兄弟姐妹吗？他们叫什么名字？你家里有几个人呢？有些人有个大家庭，有些人则有个小家庭。

认识家人

家人手牵手纸链

为纸链着色，为小人画上五官和衣服，就像你的家人一样。

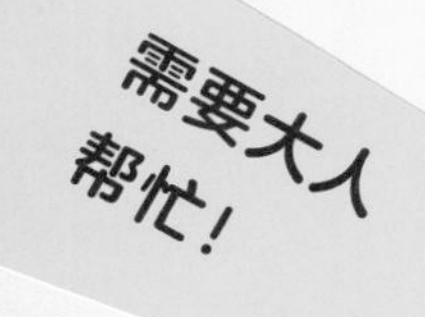

你需要

长方形纸条、剪刀、铅笔、胶带

1 将长方形纸条对折，再对折。

2 把纸条摊开，像手风琴一般。

3. 如图，在小长方形的正面画一个张开双臂的小人，其中一侧手臂画到折边上。沿线剪下，并确保折边相连处没有被剪断。

4. 如果你想要有更多人，再做一条纸链，然后将两条纸链之间用胶带粘好。

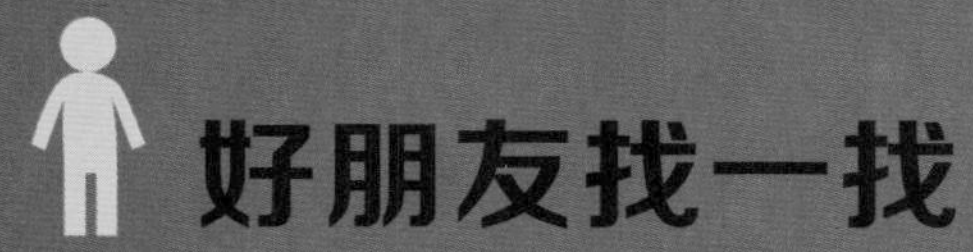

好朋友找一找

猜猜以下这些句子分别是谁说的？每个人的名字又是什么呢？

我的头发是红色的，
小克的头发是黑色的；
阿苏的头发蓝蓝的，
小杰也是呢！

阿苏喜欢大圆点，
小夫是个小不点；
达达穿得缤纷又特别，
阿汤好高哦！

阿罗跑得快，
小史慢慢来；
强哥是巨人，
看！他又长高了几厘米。

迪迪的脚很长很长，
小夫害羞又胆小，
阿汤很强壮。
我是绿眼睛，
小克是蓝眼睛，
阿苏和小杰有棕色的眼睛。
恩恩爱动脑，
阿丹跳舞跳得好，
拉拉唱歌张大嘴，
小莲也小口跟着唱。
我们长得不一样，
却有相同的地方，
快快来，加入游戏乐悠悠。
想一想，如何描述你的好朋友？
F
L
1+1=2

我的午餐

今天中午想吃什么呢？

感觉饿的时候，肚子会咕噜咕噜叫，你需要吃点东西；我们的食物都来自于生物，如：动物、植物。

看看这个大盘子，你猜得到上面的食物分别是从哪儿来的吗？跟着虚线走，答案就会揭晓了！

乳牛生产牛奶。

牛奶可制成奶油、酸奶和奶酪。

马铃薯切条油炸后就是薯条。

这株植物在地下长出块茎，就是马铃薯。

豌豆苗结了豆荚，里面有一粒一粒的豌豆。

奶酪

薯条

豌豆

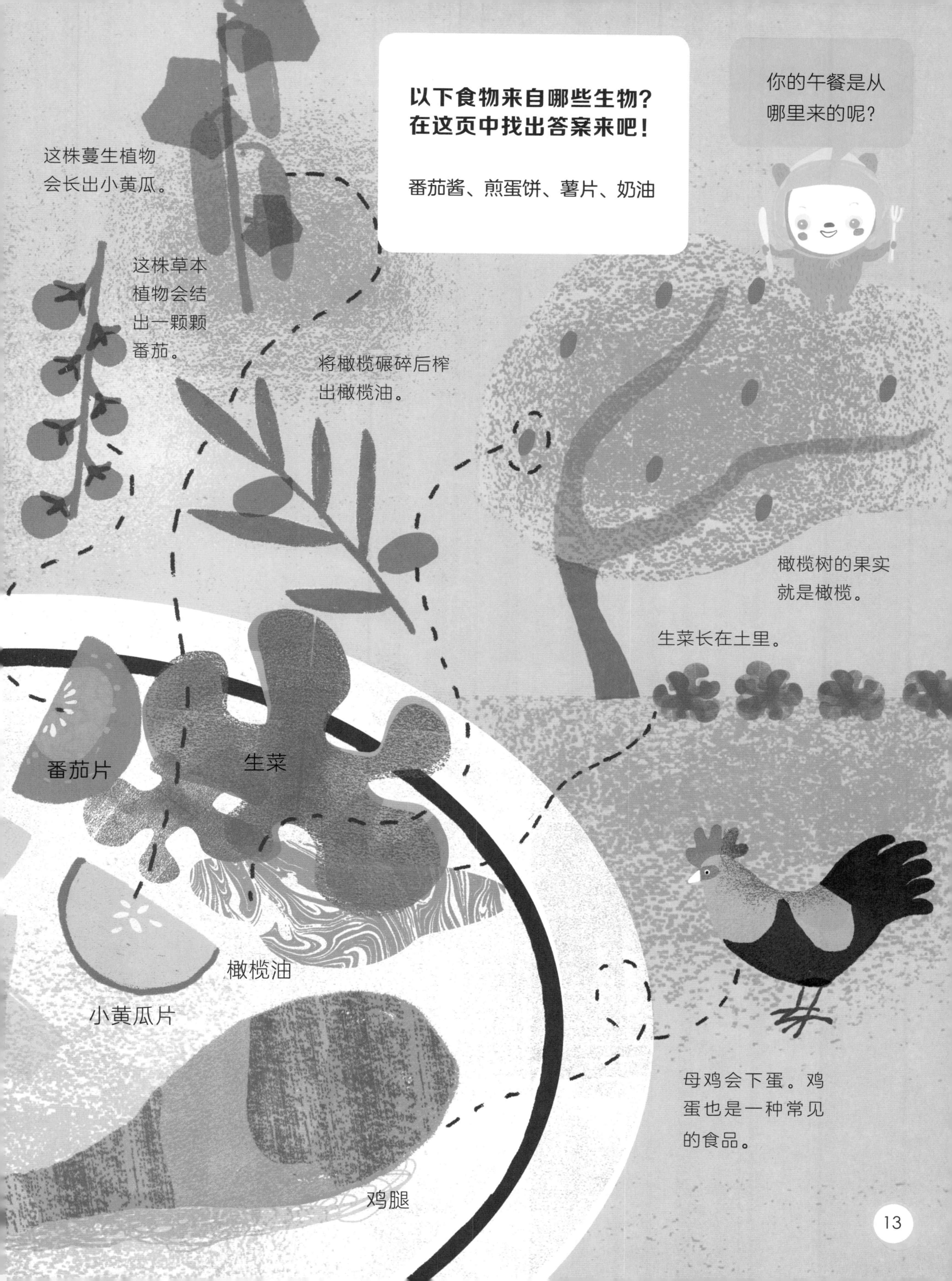
以下食物来自哪些生物？
在这页中找出答案来吧！
番茄酱、煎蛋饼、薯片、奶油
你的午餐是从
哪里来的呢？
这株蔓生植物
会长出小黄瓜。
这株草本
植物会结
出一颗颗
番茄。
将橄榄碾碎后榨
出橄榄油。
橄榄树的果实
就是橄榄。
生菜长在土里。
番茄片
生菜
橄榄油
小黄瓜片
母鸡会下蛋。鸡
蛋也是一种常见
的食品。
鸡腿

开吃喽！

每个人都需要吃东西，让我们一起来下厨。

嘿嘿，今天轮到你准备午餐了！和家人、朋友共进午餐最棒了。快邀请你的贵宾，开始准备做饭菜吧！

来做水果串

你需要 长竹签、各种水果，比如：哈密瓜、葡萄、香蕉、苹果和奇异果

1. 把手洗干净。
2. 请大人帮忙把水果切成同样大小的块状。
3. 将切好的水果块从竹签较尖锐一端穿入，一块接一块，不同水果交错穿好。多做几串，分享给朋友吧！

来做蔬菜串

你需要

长竹签、樱桃番茄、小黄瓜、切达奶酪和橄榄

1. 把手洗干净。
2. 小黄瓜和切达奶酪切成块状，每一块大小约和一颗樱桃番茄相同。
3. 将樱桃番茄、小黄瓜块、橄榄、切达奶酪块依序从竹签尖锐端穿入。为你的贵宾们各做一串吧！

来做素食汉堡

你需要

燕麦80克
奶酪丝70克
开水70毫升
西葫芦丝1个分量
胡萝卜丝1根分量
甜玉米粒50克
盐1小撮
油炸专用油2大匙

以上材料约可做5~6份汉堡。

1. 双手洗干净后，除了开水和油，将其他食材倒入大碗里。
2. 倒入开水，用刮刀或大汤勺将材料搅拌混合均匀，制成汉堡泥。
3. 抓一小把混合好的汉堡泥，压成圆扁的饼状，再将每一块汉堡饼平摆在盘子上。
4. 请大人帮你用平底锅热油。每一块汉堡饼煎炸约4~5分钟后翻面，再继续煎炸约4~5分钟，直到两面表层略呈金黄焦脆，就可以搭配生菜色拉或汉堡面包食用了。

我的家

你家的大门是什么颜色的呢？你是住在楼房还是平房里呢？

你家是否有好几个房间，分别用来做饭、洗漱和睡觉？
来看看这栋房子里的每一个房间吧！

生活用品找一找：这些东西会分别放在哪个房间？

我的庭院

可可和小艾需要你帮忙找一找以下的动物和植物。

动物和植物都是生物，看看庭院里有哪些生物吧！
小艾种了哪些蔬菜？
地下有哪些动物？
天上和树上有哪些动物？
池塘里有哪些动物？

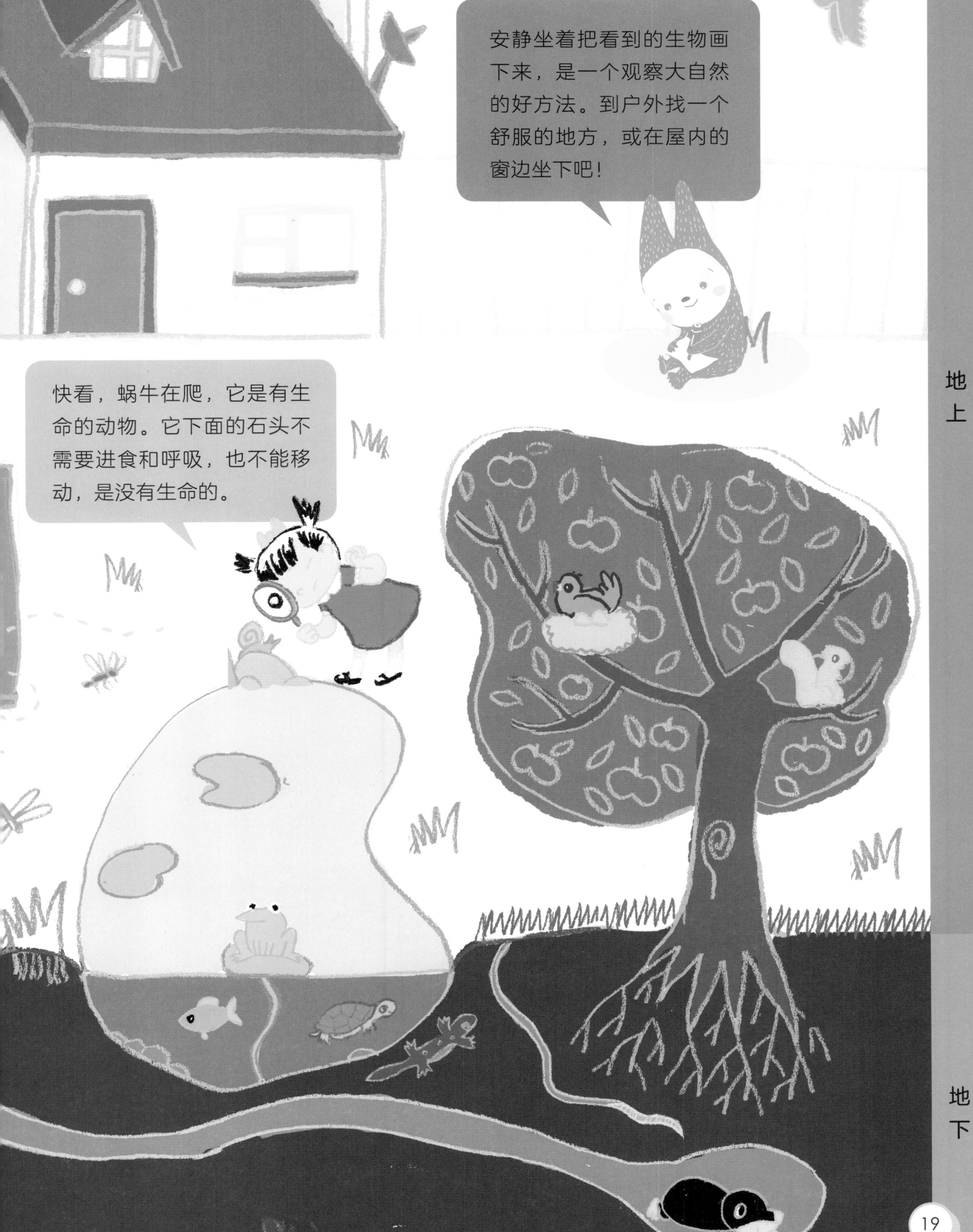
安静坐着把看到的生物画下来，是一个观察大自然的好方法。到户外找一个舒服的地方，或在屋内的窗边坐下吧！
快看，蜗牛在爬，它是有生命的动物。它下面的石头不需要进食和呼吸，也不能移动，是没有生命的。

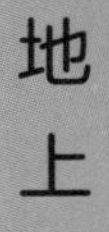
地上

地下

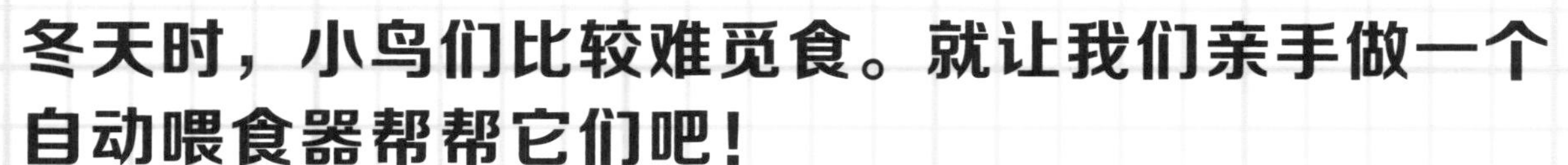

打造专属的鸟儿自动喂食器

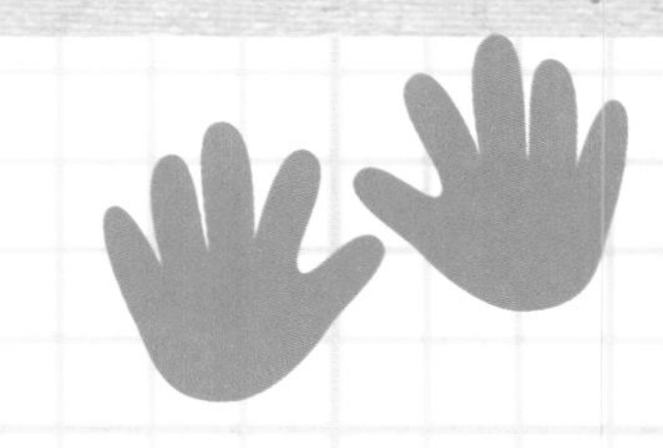

冬天时，小鸟们比较难觅食。就让我们亲手做一个自动喂食器帮帮它们吧！

需要大人帮忙！

按照以下步骤，就可以制成超炫的鸟儿自动喂食器！

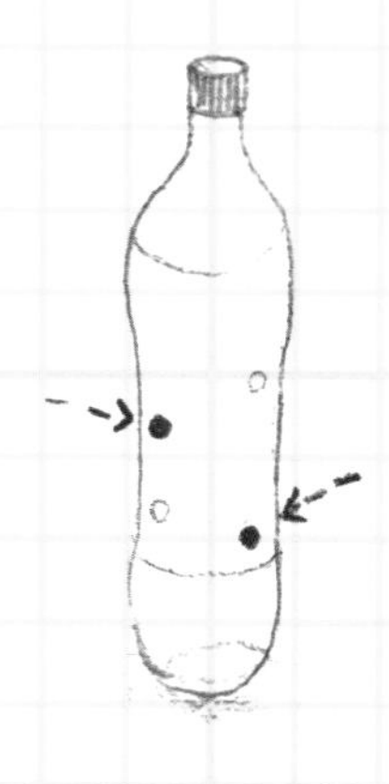

1. 将一个空塑料瓶洗干净，如图示，在瓶身上钻好相对应的两组洞（共四个）。

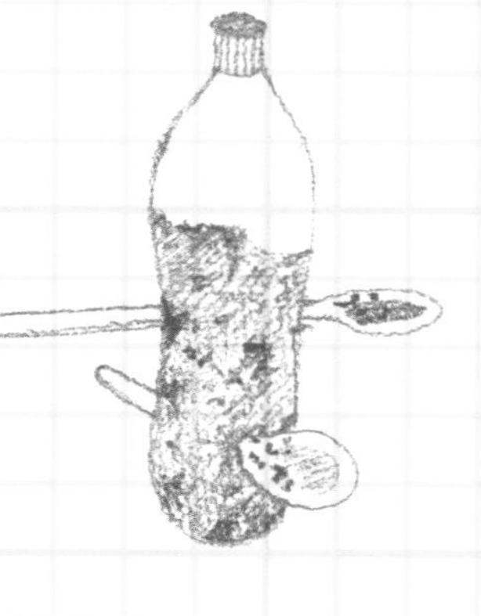

2. 将两把环保汤匙穿过洞，瓶子内装满鸟饲料。上一步骤钻的洞口要大一点，饲料才能从瓶子里自动掉到汤匙上。

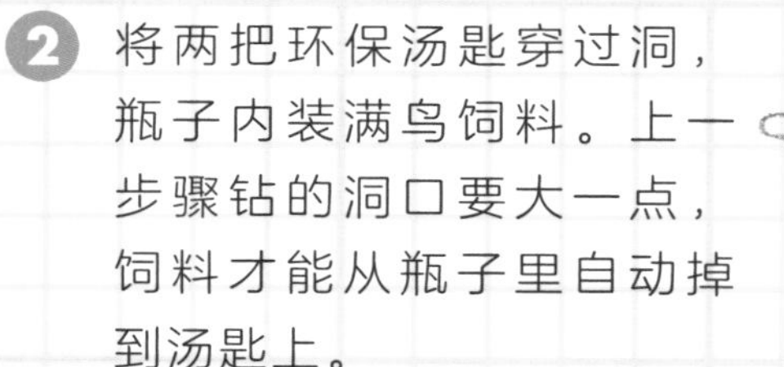

3. 在瓶盖上钻一个洞，穿绳，将瓶盖内侧的绳子打结，避免脱落。

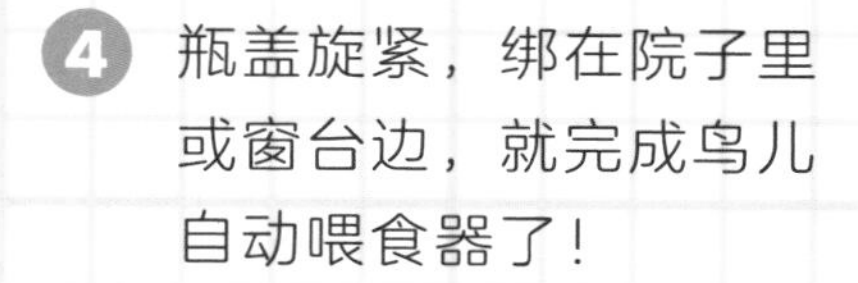

4. 瓶盖旋紧，绑在院子里或窗台边，就完成鸟儿自动喂食器了！

5. 观察看看，总共会有几种鸟儿来吃饲料？

你需要

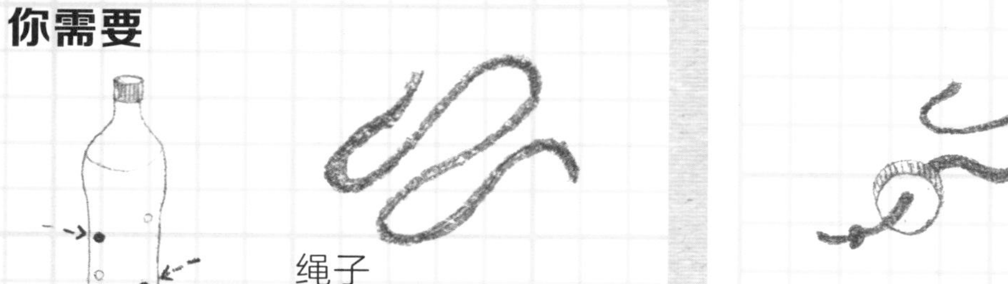

有瓶盖的塑料瓶

绳子

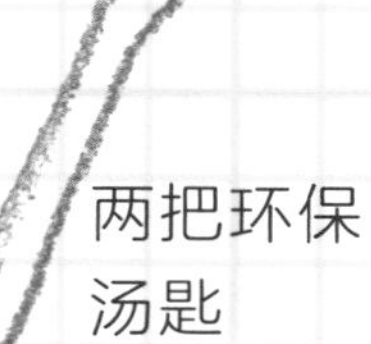

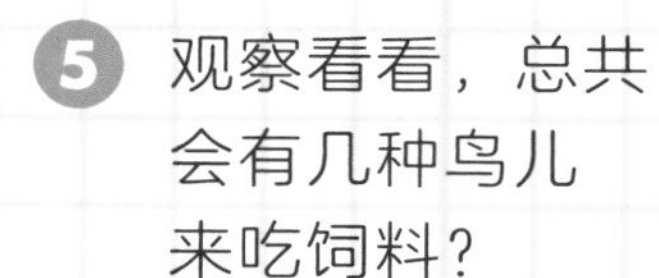

两把环保汤匙

剪刀

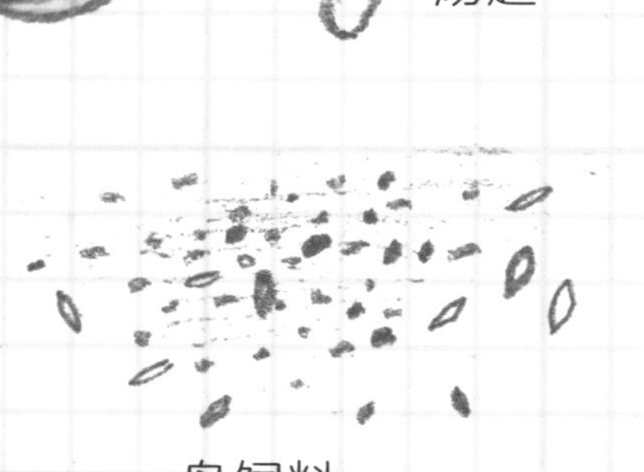

鸟饲料

打造迷你秘密花园

你需要

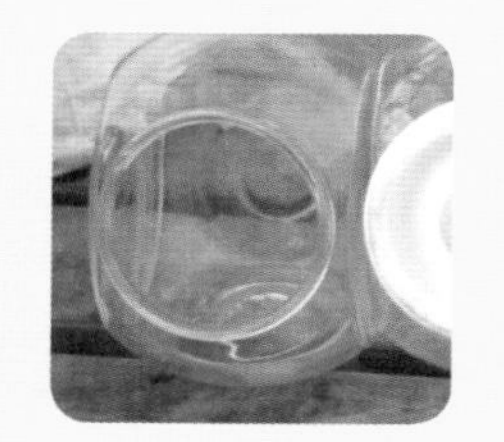

一个有盖的大罐子

沙子

园艺用竹炭

泥土

苔藓植物

盆栽植物

需要大人帮忙！

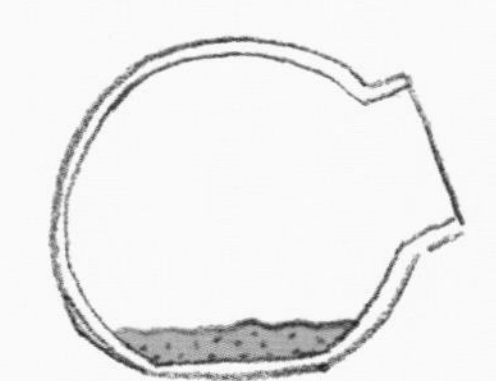

铺好沙子。

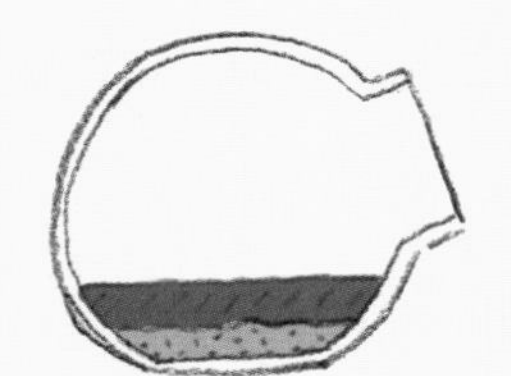

铺好竹炭。

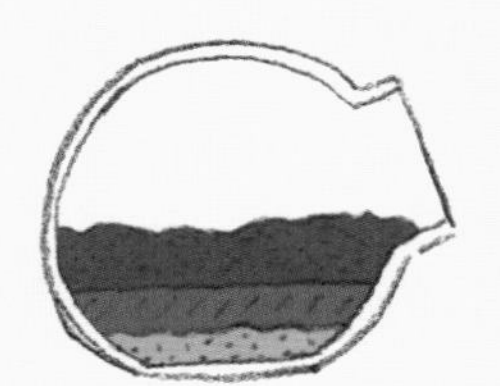

铺好泥土。

种上苔藓植物和盆栽植物，或许可以再摆放几个小玩具装饰。哇！专属于你的迷你**秘密花园**盖好了。

这座迷你秘密花园自成一个小小的世界。

当你盖好盖子，植物释放出的水汽会在罐子的内壁上形成小水珠，渗透进泥土里。这些水会一次次地不断循环；当你打开盖子，水汽会逃逸散失，那时你需要给迷你秘密花园浇水。

花朵大富翁

在这个游戏中，你是一只担负重要工作的小蜜蜂！

这些小蜜蜂在雏菊间穿梭，忙着吸食花蜜。它们还会帮花儿授粉，也就是将花粉从这朵雏菊的花蕊送到那朵雏菊的花蕊上，繁衍出种子后，落地长成新的雏菊。

你需要

一颗骰子
代表每个玩家的棋子

游戏方法

两人或两人以上的游戏

1. 每个玩家把自己的棋子放在**起点**。
2. 掷骰子并按照数字移动棋子。
3. 第一个抵达**终点**者即获胜。

遇到饥饿的青蛙，后退三格。

在其他花朵上逗留，暂停一次掷骰子。

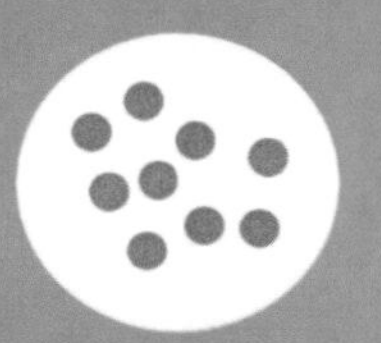

意外采到更多的花粉！可再掷一次骰子。

农家乐

农场里有什么新鲜的大小事呢？

小艾和可可到农场帮忙。这里出产很多新鲜食材，每天都需要有人仔细照料农场里的动物和作物。

风车借风力转动，将麦子磨碎成面粉，好用来烘烤面包。

苹果园

这些农产品是从哪里来的呢？沿着小路走，帮我找出正确的答案吧！

面粉
面包
香肠
牛奶
奶酪
熏肉
鸡蛋
苹果
胡萝卜
番茄
甘蓝

牛奶从哪里来的呢？

母鸡下蛋。

所有动物都需要饮用干净新鲜的水。

这片是麦田，麦子常用来做成面包和意大利面。
乳牛吃草，然后产奶。
猜猜我在田地上撒了什么东西？
我们把干草捆好存放在谷仓里。
菜畦
干草
将青草割断后，烘干做成干草。
马要吃干草，我们到哪里找干草呢？
这是厩肥，是陈年的动物粪便。农夫会将厩肥均匀铺撒在田地里，帮助作物生长。
猪肉和猪肠衣可做成香肠。

来，去闹市区逛一逛

为什么这些人要去闹市区呢?

嘟嘟——人们用走路、骑车、驾驶、搭公交车或火车的方式，涌向闹市区，从事各种活动。有人去上学，有人去工作，也有人去购物。

他要去哪里?

在地图上找到这些彩色小人，动动手指头，跟着他们的路线走。左下方有重点提示，说明这些图案在地图上分别代表什么意思。对照后，你就能和彩色小人一起顺利抵达目的地了!

重点提示

学校 

公园 

商店 

博物馆 

游泳池 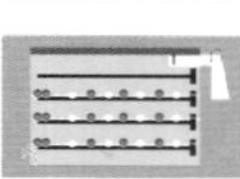

游乐区 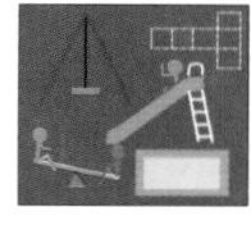

火车和车站 

公交车和站牌 

船 

自行车 

汽车 

你好！请告诉
我哪条路可以
走到学校呢？
我想去游乐区，该
沿哪一条路走呢？
轮到你按照地图，试着
规划一次纸上小旅行
吧！你想去哪里呢？该
如何到达目的地？
我想骑自行车
去游泳池。
请问，我该
怎么乘火车
去商店？

好忙好忙的小镇

游戏方法

两人或两人以上的游戏

1. 按照掷出的数字，沿游戏盘上的格子前进。
2. 停在浅黄色格子上，暂停一次掷骰子。
3. 停在桥梁上，再掷一次。
4. 停留的格子上有数字时，按照数字再继续往前走。
5. 第一个抵达**终点**者即获胜。

你需要

一颗骰子
代表每个玩家的棋子

看电影
暂停一次
冰激凌
真好吃
再掷一次!
去游泳+1
终点

河流和溪流

河流是如何形成的？会流到哪里去？

通常河流是从山上一抹涓流开始，逐渐形成一条溪流，再和其他溪流汇集成为河流，最后直奔大海而去。

河流的水来自一抹涓流。

水坝是一道坚固又高大的墙壁，能够挡住许多水。

溪流的水量越来越大、越来越大……

船只在河上来回穿梭航行。

让我们穿桥渡河吧！

流域

人们利用河流资源满足各种生活所需。

紧邻桥边的区域多发展为闹市区。

沉船

将喝完的饮料纸盒做成一只小船吧！下次，让这只船陪你在浴缸里洗澡，看它漂在水上，再想办法试着让它沉没。

你需要

清洗干净的饮料纸盒、剪刀、鹅卵石（也可用小石子或小型塑料玩具代替）

河流上有什么？你能找到这些东西在哪里吗？

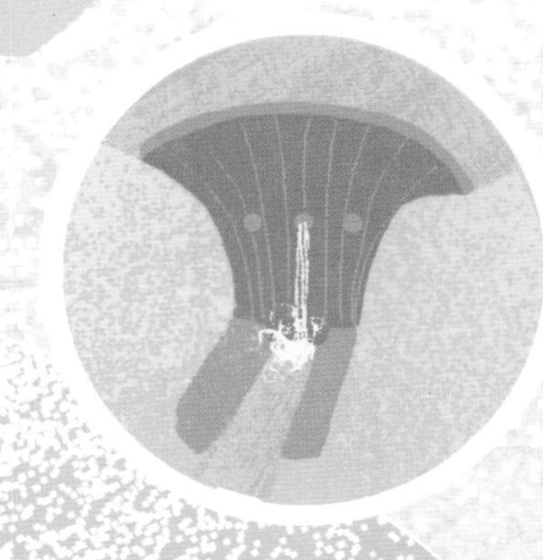

水坝能控制水流量。水注入水坝时，会推动巨轮旋转、产生能量（可转换为电力）。

水相当有力，能推动轮子一圈又一圈旋转。

一艘满载着货物和行李的船。

水车利用河水流动产生力量，将谷粒磨成粉。

河流最终流入大海。

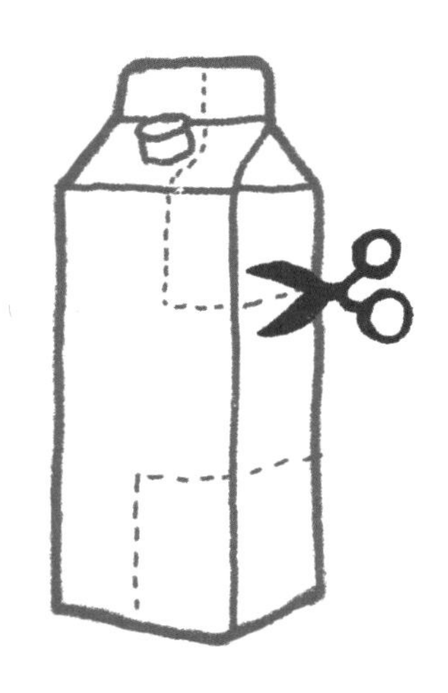

1. 如图所示，在纸盒其中一面，沿线将两块区域剪掉，做成一只船的造型。

2. 当你在浴缸里洗澡时，就可以开始尽情游戏了！在船上放入鹅卵石，一块接一块。想要这只船下沉总共需要几块鹅卵石？

海滩上

当陆地碰到海洋，会有什么样的变化呢？

探索好伙伴们在海边快乐嬉闹。不过，一会儿就要涨潮了，那时海滩将被海水淹没。

灯塔闪着亮光，向海上航行的船只指示陆地将近。

我是救生员，职责是确保每个游泳者的安全。

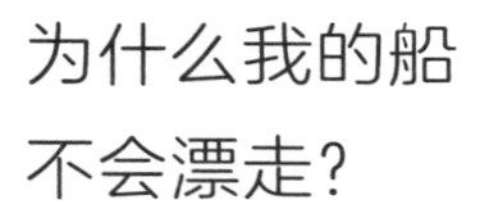

为什么我的船不会漂走？

我感到海浪在拍打着我的脚。

是什么在帮我顺利航行？

我需要浮潜装置才能看见水下风景，但鱼儿不需要。

迎风旋转的纸风车

你需要

边长20厘米的正方形纸1张、图钉1枚、带橡皮擦头的铅笔1支

1. 如图示，正方形纸沿对角线对折两次后摊开，呈现出四个等腰三角形。在中心点和每个三角形的右底角上分别做记号。

2. 从正方形的四个顶点出发沿折线剪，但是不要剪到中心点。利用图钉在刚刚做的五个记号上刺洞。

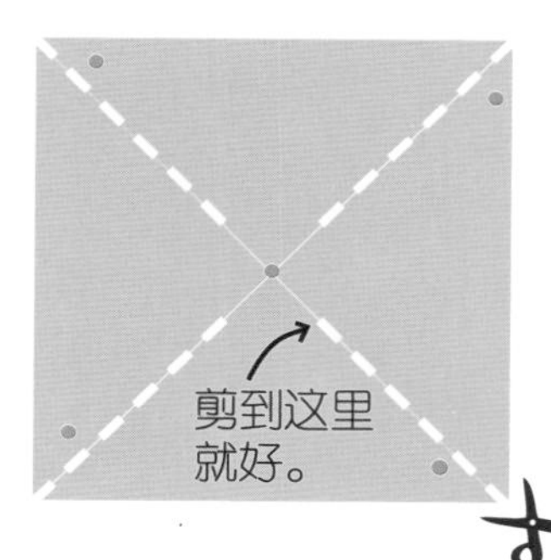

3. 将四角的洞依序往中心点的洞对准，并用图钉固定好。

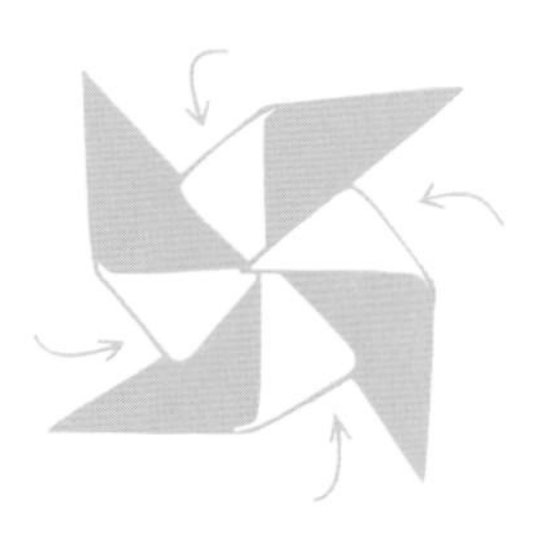

4. 细心地钉到铅笔的橡皮擦头上。

啊哈，纸风车顺利转动了！

森林大冒险

每一种树的叶片和种子都有自己独特的造型。
来试试树种辨识游戏吧！

找一找，每棵树上都有一片叶子长错了地方。

树皮保护着树枝和树干。

树干有树皮包裹着。

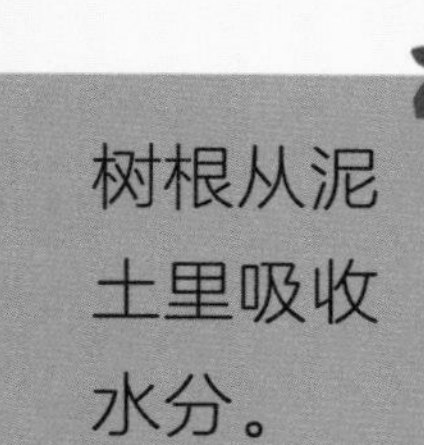

树根从泥土里吸收水分。

树种辨识

参考以下所列树叶和种子的名称，为这里所有的树木找出适当的名字吧！

落叶树

冬季时树叶就会脱落。

槭叶

槭果

橡叶

橡实

马栗叶

马栗

梣叶

梣果

榆叶

榆钱

常绿树

冬季时树叶仍在树上持续生长。

冬青叶

冬青浆果

松针

松果

前往魔法树林

在树林里必做的10件事情

下一次，当你和亲朋好友漫步在树林或公园中时，可以玩玩几个有趣的小游戏。

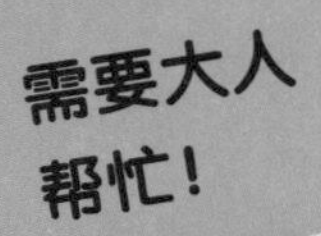

1 在灌木丛里用细枝、树叶盖一个野地小窝。

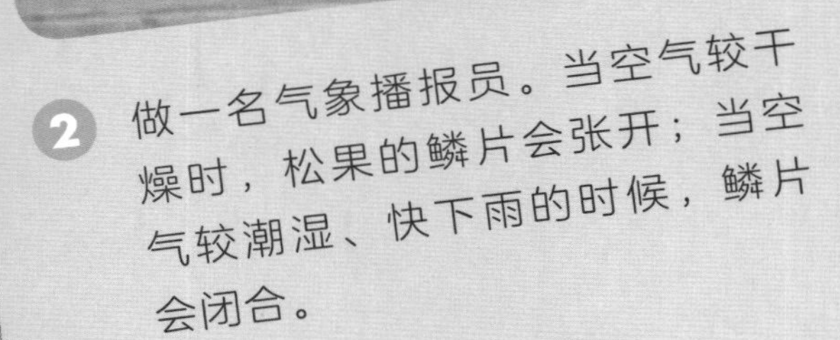

2 做一名气象播报员。当空气较干燥时，松果的鳞片会张开；当空气较潮湿、快下雨的时候，鳞片会闭合。

3 打造“坚果号”帆船。在坚果壳里放一块橡皮泥，用牙签或树枝穿过一张纸片，插到橡皮泥上。来吧，启动冒险航程！

4 你发现了几种不同的虫子呢？

5 找一找树干上的脸。这张脸就正在微笑呢。

6 收集不同树种的叶片。晾干后，找一本较为厚重的书，把叶片夹在书页间压好，可当书签。

7 和朋友抱树。树龄越老，树干越粗，需要越多的朋友一起才能合抱住。

8 利用树枝排列出多个大自然路标，引导朋友追随你前进的路线。

9 数一数树干上有几个圈，找出这棵树的年龄。图中这棵树已经18岁了呀！

10 躲在树后玩捉迷藏。数到20后，不管他们准备好没有，我都要来捉人了！

▲ 巍巍的高山

试着用两个手指沿着登山地图爬山吧！

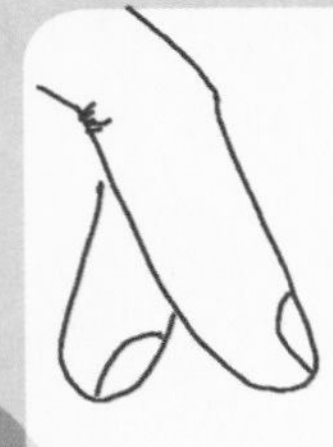

首先，找到“登山口”，摆动手指像走路一样，沿着虚线前进。途中你遇到了哪些动物呢？根据页面下方的提示，来认识它们的名字吧。

只有极少数的树种能在高山上生长。

熊有厚厚一层毛皮能为身体保暖。

高山动物能适应严寒地区的生活。

目的地

海拔越高的山区，气温越低。

登山口

认识高山动物：找一找右边的动物们躲在哪里？

野猪

蜜蜂

熊

老鹰

土拨鼠

鼬鼠

野山羊

想挑战一下其他
登山路线吗？
滑雪玩家享受着从山顶
疾驰而下的乐趣。
岩羚羊是敏捷
的攀岩高手！
冷杉林大多在
山脚下丛生。
试着用手指走新的
路线，并经过以下
动物。
登山口
目的地
再试着用手指走另
外一条路线，并经
过以下动物。
登山口
目的地
岩羚羊
野狼
狐狸
奶牛
野兔
鹿
山羊
绵羊

冷热地带

一起唱“忽冷忽热环游世界”这首歌吧！1、2、3，唱！

游戏方法

1. 准备好下列物品。

2. 跟着可可边唱边做动作。

一早我就起了床，
要去环游世界啦！

拿出最好的大衣、
墨镜和围巾，
最爱的一顶毛帽和一对针织手套，
通通打包在一起。

第一站去北极。
哎哟，冷到不行！

快围上你的围巾，
快围上你的围巾！

我看到北极熊和北极狐狸，
还有冰山和哈士奇。

快戴好你的针织手套，
快戴好你的针织手套！

第二站到了雨林，
真是个又热又湿的地区。

快脱掉你的针织手套，
快脱掉你的针织手套！

我爬上一棵美丽的树，
后面跟着一只鹦鹉。

快解下你的围巾，
快解下你的围巾！

我张开手臂，
像一只鸟在空中展翼。

快戴上你的毛帽，
快戴上你的毛帽！

我在沙漠上降落，
碰到一只骆驼叫小柏。

快脱了你的毛帽，
快脱了你的毛帽！

然后去拜访南极，
比北极更是冰天雪地。

快穿上你的大衣，
快穿上你的大衣！

我遇见成群结队游泳的蓝鲸，
还有帝企鹅下潜海底。

快围上你的围巾，
快围上你的围巾！

我抵达澳大利亚的国境，
与袋鼠、树袋熊相遇。

快脱掉你的大衣，
快解下你的围巾！

我在海滩上快乐嬉戏，
戴水肺潜水，跟鱼群悠游，真有趣。

快戴上你的墨镜，
快戴上你的墨镜！

回到家时已深夜，
实在感觉好疲倦。

快摘下你的墨镜，
快摘下你的墨镜！

有太多新事物需探索，
我等不及再一次去旅行！

动物星球

动物的大小和外形各不相同。

不同的动物适合居住在世界上不同的地方。读一读方框里的描述，在图上找到相应的动物吧！

我有四条腿、两只大耳朵和长长的牙齿，喜欢吃胡萝卜。

我没有脚，但能够滑溜地游过来又游过去，皮肤上有很多鳞片。

我会用脚踢水、游泳，身体颜色有黑有白，住在寒冷的地区。

我有八条会扭来扭去的长手臂和两只眼睛，生活在水中。

我出生时是只小蝌蚪，现在有两条后腿，能跳得很高！

我住在陆地上，脖子很长，可以吃到树顶上的叶子。

我像一只大猫咪，身上有条纹，是个狩猎者。

我有四只脚，背上有好多刺儿，能蜷成一个球。

我是陆地上最大的动物，全身是灰色的，有超大的耳朵。

我的家在大海里，常在海滩上匆忙奔走或躲进沙洞中。我有两把大钳子。

我在陆地上生活，有四只脚、一条尾巴，满头都是又粗又蓬的鬃毛！

我有翅膀、两只脚、一个坚硬的喙部，全身粉红色。

我有个卷卷的壳，爬得很慢很慢。我吃叶子和水果。

我长得像一匹马，有黑白条纹，跑得也很快。

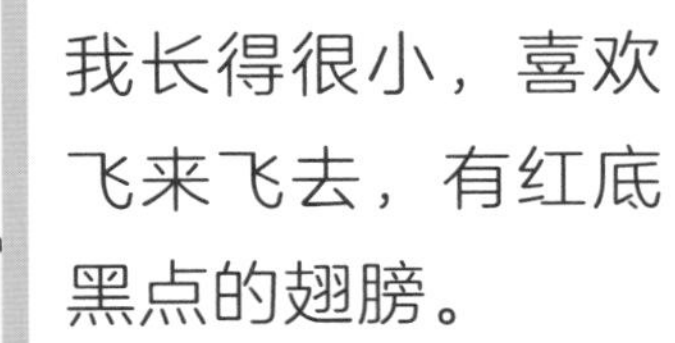

我长得很小，喜欢飞来飞去，有红底黑点的翅膀。

图中还有很多动物没有被描述。想一想，它们有哪些特征？针对猴子、蝙蝠或鳄鱼，你会如何描述？

动物合唱团

喵！汪汪！咯咯咯！动物也能制造出高分贝的噪声。

你知道这些动物怎么叫吗？选一种动物，问问朋友："这种动物会发出什么声音呢？请模仿。"然后，换他考考你！

海洋世界

海洋中有哪些居民呢？

有许多奇妙的生物生活在海洋中。海洋占了我们星球的一大半面积，靠近海面的海水被阳光照射着，但海底又暗又冷。

你找到宝藏了吗？

我正和蓝鲸一起悠游大海。它的鼻孔在喷水。它也是目前发现的地球上最大的哺乳动物哦！

哇，这只水母会在黑暗中发光！

这条鱼的头上有一根会发光的钓鱼竿。它住在深海中。

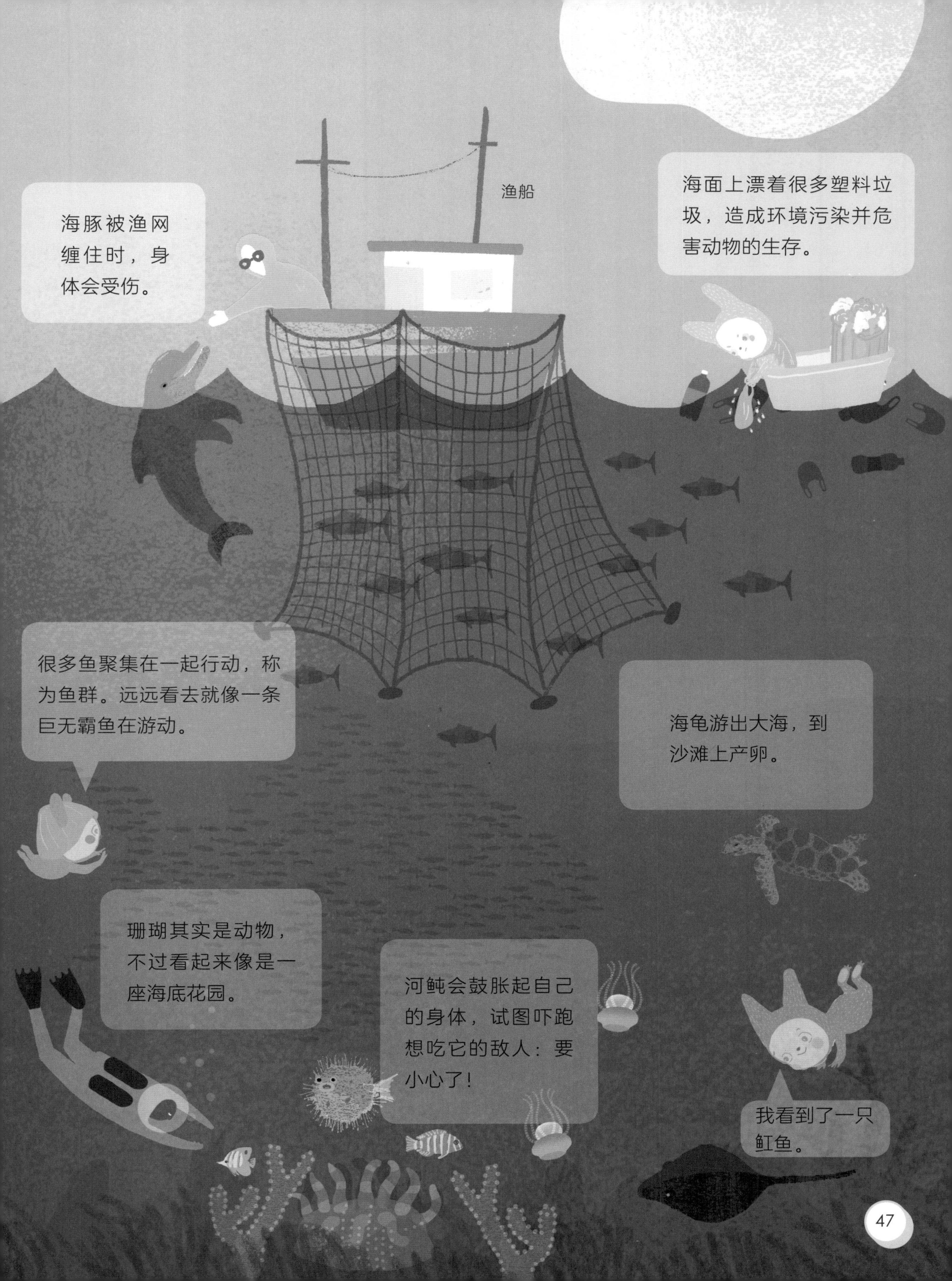

渔船

海豚被渔网缠住时，身体会受伤。

海面上漂着很多塑料垃圾，造成环境污染并危害动物的生存。

很多鱼聚集在一起行动，称为鱼群。远远看去就像一条巨无霸鱼在游动。

海龟游出大海，到沙滩上产卵。

珊瑚其实是动物，不过看起来像是一座海底花园。

河鲀会鼓胀起自己的身体，试图吓跑想吃它的敌人：要小心了！

我看到了一只魟鱼。

岛屿的诞生

岛屿是如何形成的呢?

哗——哗——海浪冲击、拍打着全球的海岸线。
这是一个关于岛屿由来的故事。

❶ 很久以前，在海底深处，炽热的岩浆在翻滚。有一天，它们被挤压出海面。

❷ 然后火山形成了，并持续朝空中喷发炽热的岩浆。这些地上的岩浆被称为熔岩。

❸ 当火山冷却，熔岩逐渐变成坚硬又黑沉沉的石头。不过植物是如何在光秃秃的岩层上生长的呢？动物要如何在这里生存栖息呢？动植物到底是从哪里漂洋过海迁徙到岛上的呢？

暴风雨时，植物被打落在海上。

雷电劈断椰子树，
树掉进了海里。

随波漂流。

然后开始破碎分解。有一只蜥蜴攀附在这棵椰子树上，你看到了吗？

❹ 椰子树和蜥蜴漂流到火山岛旁，被海浪冲到光秃秃的岩岸上。

❺ 很快，椰子树在肥沃的土壤上落地生根。接着，椰子树四周开始长出其他小草。

❻ 再过一阵子，岛上的椰子树和蜥蜴越来越多了。咦？那是一艘船吗？

❼ 人类陆续到这座岛上定居，同时带来更多的植物和动物。他们砍伐林木建造房屋、生火烹煮食物。

雨或晴

快，下雨了！

雨水到哪里去了？跟着探索伙伴一起去看看。

太阳

云

① 雨天时，水分从云朵落下，打到我们的伞上。

⑥ 小水珠聚集形成云朵，达到一定负荷量后就开始下雨。快跑，又要下雨了！

⑤ 海水转变成肉眼看不见的水蒸气，蒸发到大气之中。当水蒸气上升到高空，低温又使它凝结成水珠。

彩虹

② 然后雨水被土壤吸收，渗入地下。

大海

③ 接着汇聚成小溪流，并汇入河流。

河流

④ 河流流向大海。

培养幼苗

植物需要阳光和水才能顺利成长。

你需要

干净的食物密封袋、湿纸巾、各种豆子（大豆、蚕豆、豌豆、四季豆等）、水和订书机

1. 首先，将所有豆子泡在冷水里静置一个晚上。
2. 将湿纸巾剪成可放入食物密封袋的大小。
3. 如图，用订书机订几下，将湿纸巾固定在密封袋里；订书钉的排列尽量呈一条直线。底部预留一些空间，好让豆芽根部顺利生长。
4. 加水，让湿纸巾均匀沾湿即可，把四颗豆子置入，位置不超过装订线。

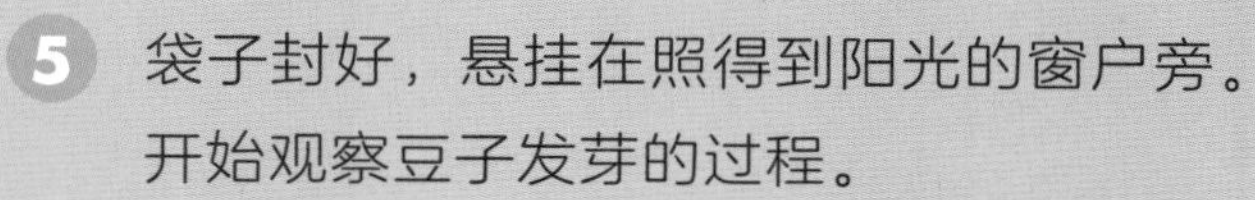

5. 袋子封好，悬挂在照得到阳光的窗户旁。开始观察豆子发芽的过程。
6. 豆子出芽后，需要空气才能继续生长。所以必须将已抽芽的豆子移植到花盆或户外土里。

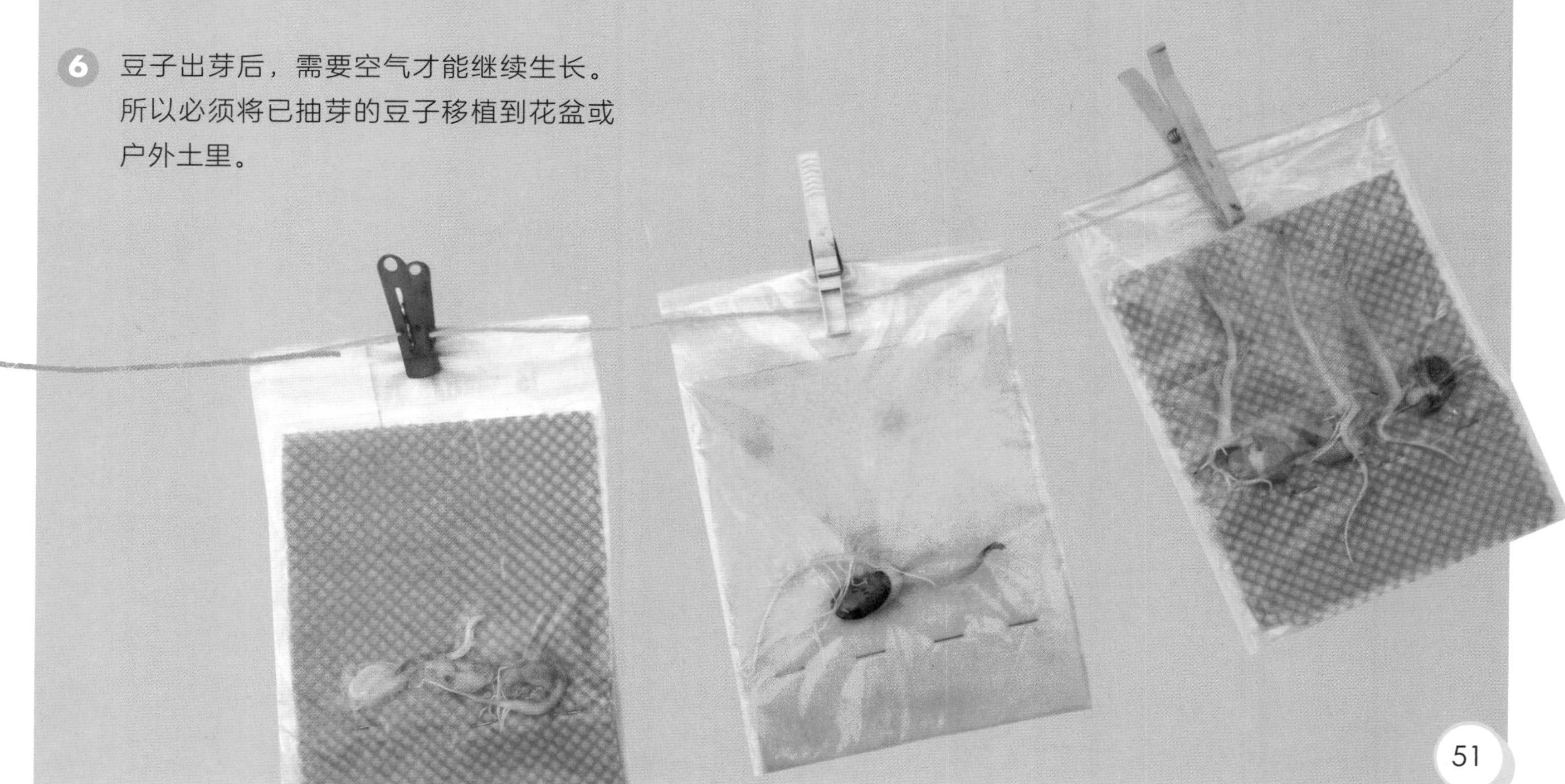

天气之歌

今天是什么天气呢？把书转个方向，大声地读一读这首天气之歌吧！

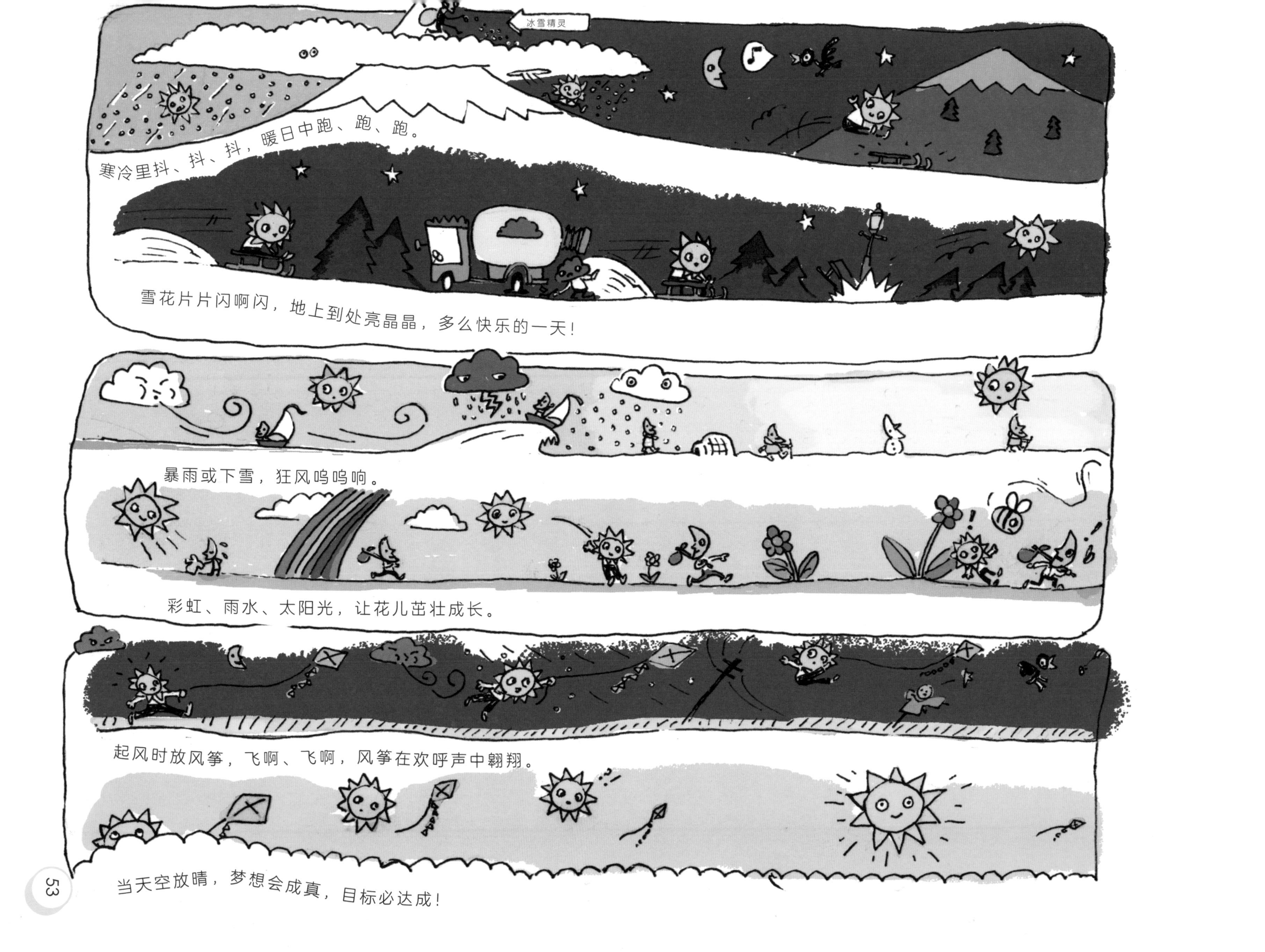
冰雪精灵
寒冷里抖、抖、抖，暖日中跑、跑、跑。
雪花片片闪啊闪，地上到处亮晶晶，多么快乐的一天！
暴雨或下雪，狂风呜呜响。
彩虹、雨水、太阳光，让花儿茁壮成长。
起风时放风筝，飞啊、飞啊，风筝在欢呼声中翱翔。
当天空放晴，梦想会成真，目标必达成！

四季更迭

真是个奇妙的小岛，同时可遇到春、夏、秋、冬四个季节。
仔细观察看看，动物和植物分别比较喜欢哪一个季节呢？

万物找一找

和朋友一起在纸上玩捉迷藏，找出对方指定的动物和植物。你们可以先从右边四种动物开始游戏！

白天和黑夜

当你在床上沉沉入睡时，周围发生了什么事情呢？

有些动物白天睡觉、晚上醒着，但有些动物则是白天醒着、晚上睡觉。

你知道谁在白天活动吗？

你知道谁在晚上
活动吗？

处处充满惊喜的地球

想去地球上的哪一个地方游玩呢？

书里出现的动物和植物，全都生活在我们的星球上。好好享受这个令人惊奇的大世界吧！

这个星球是我们每个人、动物和植物共同拥有的家。请悉心呵护她，让她永远保持美丽。

太阳、星星和月亮

在夜空中寻觅那一颗星星。

一颗恒星就是一个巨大的火球，而最靠近地球的那一颗是太阳，闪耀着明亮的光芒并温暖我们。许多星星一起排列出特别的造型形成星座。它们在不同的时节、地点会有不同的变化。抬头看，你找到什么星座了？试着自己创造新的星座吧！

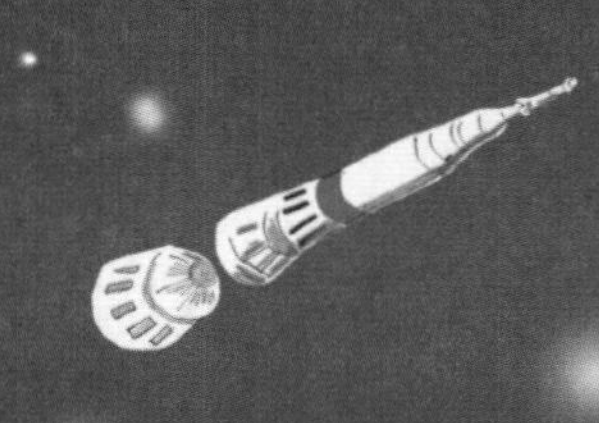

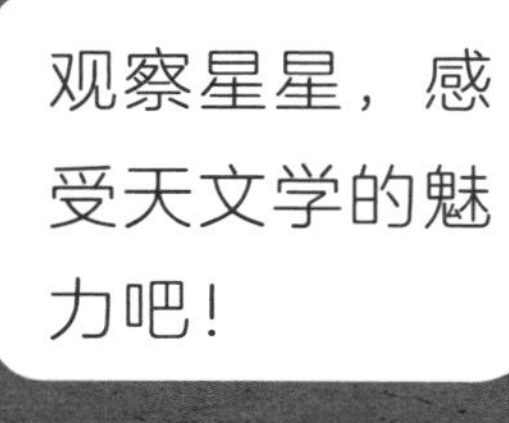

观察星星，感受天文学的魅力吧！

双子座

武仙座

赏月

月亮平均28天环绕地球一周。当夜晚来临，仰望天空，你看到了什么形状的月亮？

满月

弦月

新月

事实上，太空中的月亮一直保持着满月形状。只是受角度影响，在地球上的我们有时仅能看到部分，所以觉得月亮的形状好像在改变。

人造卫星会在地球外围旅行，
专门搜集一些研究用的资料，
比如有关天气的。
仙后座
处女座
大熊座
狮子座
北极星
小熊座

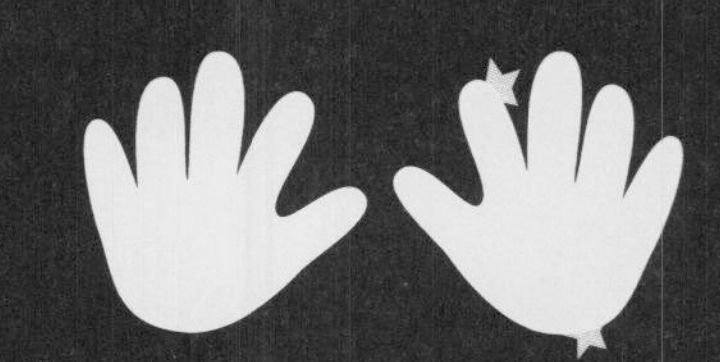

制作月亮饼干

你需要

纯面粉
110克

室温解冻奶油
60克

红糖
85克

鸡蛋
1颗

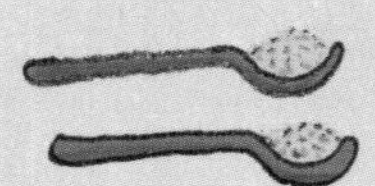

姜粉
2茶匙

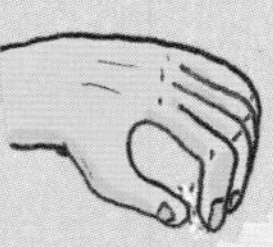

盐
1小撮

不同口味的果酱

❶ 将手洗净，把奶油、红糖、姜粉、盐倒入盆中，用刮勺搅拌混合均匀。

❷ 将全蛋液徐徐倒入，边倒边搅拌。接着，面粉过筛，一小撮一小撮地加入，把全部材料揉成面团。

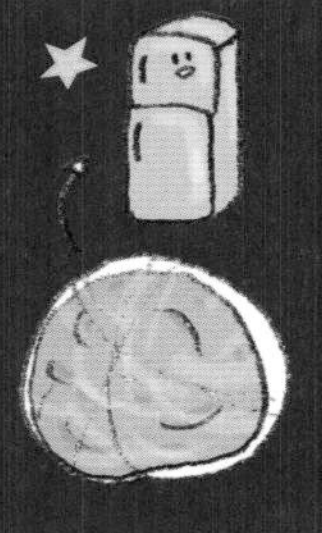

❸ 将面团揉捏成球形，用保鲜膜上下都包好后，放入冰箱冷藏约2小时。

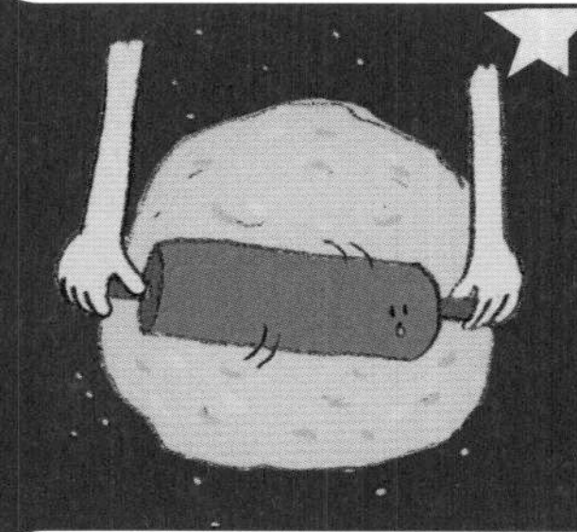

❹ 在擀面棍和桌上撒些许面粉，将面团擀压成圆形薄片，厚度跟指甲差不多!

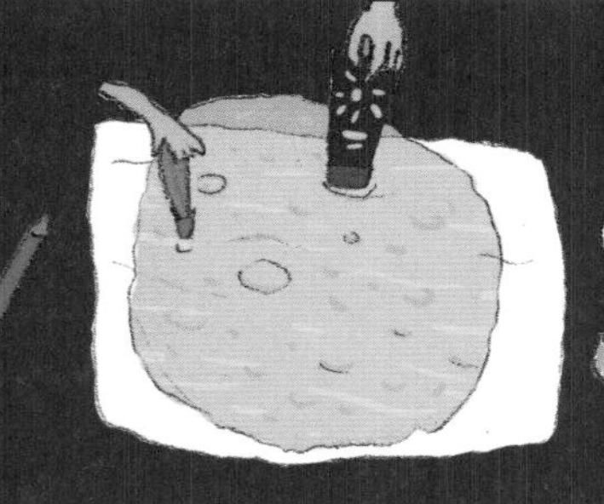

❺ 覆盖保鲜膜。用手指或其他工具，浅浅压出如月球表面坑洞的圈，然后剥掉保鲜膜。月亮饼干做好了。

❻ 烤盘里先涂抹一层薄奶油，再将饼干摆好。烤箱预热至180摄氏度，放入饼干烘烤15~20分钟。

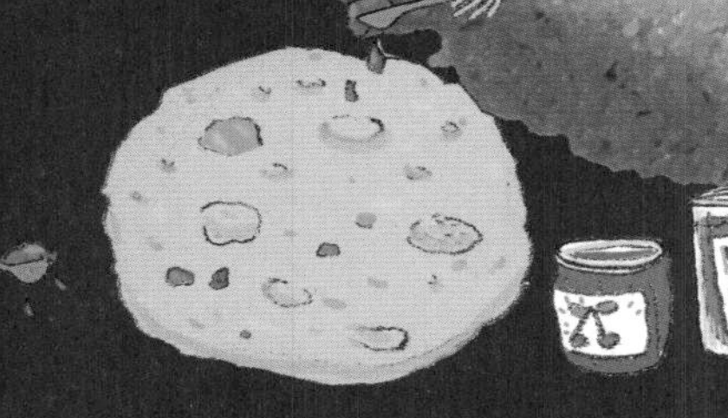

❼ 出炉后，让饼干自然冷却。在一些坑洞里涂满果酱，然后切成片跟朋友分享吧!

制作火箭控制器

你需要

麦片盒裁下的长方形纸板、胶水、纸、彩色铅笔、塑料盖、玻璃瓶盖和小纸盘

制作方法

1. 将塑料盖粘到纸板上，当作按钮。小纸盘则是方向调节器。
2. 如图，在纸上画上恒星和行星，剪下来贴到控制面板上。
3. 准备发射火箭，去宇宙航行吧！

将控制面板挂在床边的墙上，设定目的地旋钮后，开始想象一段星际旅程吧！

地球是太阳系八大行星之一。你想去拜访哪颗星球呢？

活动索引

图书在版编目（CIP）数据

从家到太空透视世界书 /（法）苏菲·多瓦文 ；英国OKIDO工作室图 ；黄安绮译. -- 北京 ：北京联合出版公司，2018.5
（启发精选神奇透视绘本）
ISBN 978-7-5596-2088-0

Ⅰ. ①从… Ⅱ. ①苏… ②英… ③黄… Ⅲ. ①科学知识-少儿读物 Ⅳ. ①Z228.1

中国版本图书馆CIP数据核字(2018)第094626号

著作权合同登记　图字：01-2018-2819号

My Big World
Published by arrangement with Thames & Hudson Ltd, London
My Big World © 2013 OKIDO
the arts and science magazine for kids
www.okido.co.uk
Photographs Copyright © Thames & Hudson Ltd, London, unless otherwise noted
Written by Dr. Sophie Dauvois
Illustration and Design by OKIDO Studio: Alex Barrow, Maggie Li and Rachel Ortas
Consultant: Barbara Taylor
pp.16-17: My home/doll's house photographs courtesy the V&A Museum of Childhood, London, www.museumofchildhood.org.uk
Puppenhaus, manufactured by Bodo Henning, www.bodo-henning.com
This edition first published in China in 2018 by Beijing Cheerful Century Co., Ltd, Beijing
Simplified Chinese edition © 2018 Beijing Cheerful Century Co., Ltd

从家到太空透视世界书
（启发精选神奇透视绘本）

文：〔法〕苏菲·多瓦　图：〔英〕OKIDO工作室　翻译：黄安绮
选题策划：北京启发世纪图书有限责任公司
　　　　　台湾麦克股份有限公司
责任编辑：刘　恒
特约编辑：谢灵玲　陈叶君　特约美编：陈亚南　苏　丹

北京联合出版公司
（北京市西城区德外大街83号楼9层　100088）
恒美印务（广州）有限公司印刷　新华书店经销
字数105千字　787毫米×1092毫米　1/8　印张9
2018年5月第1版　2018年5月第1次印刷
ISBN 978-7-5596-2088-0
定价：68.00元